Junge  Lek

ELI-Lektüren: Texte für Leser
jeden Alters. Von spannenden
und aktuellen Geschichten bis hin
zur zeitlosen Größe der Klassiker.
Eine anspruchsvolle redaktionelle
Bearbeitung, ein klares didaktisches
Konzept und ansprechende
Illustrationen begleiten den Leser
durch die Geschichten und Deutsch
lernt man wie von selbst!

Mary Flagan

Hannas Tagebuch

Illustrationen von Laura Ferracioli

Junge ELI Lektüren

Hannas Tagebuch
von Mary Flagan
Deutsche Version: Juliane Grützner
Didaktische Bearbeitung, Übungen, Dossiers: Peggy Katelhön
Illustrationen: Laura Ferracioli
Neubearbeitung des Textes und Redaktion: Jacqueline Tschiesche

ELI-Lektüren
Konzeption
Paola Accattoli, Grazia Ancillani, Daniele Garbuglia (Art Director)

Layout
Valentini Mazzarini

Grafische Gestaltung
Sergio Elisei

Bildbeschaffung
Giorgia d'Angelo

Production Manager
Francesco Capitano

Fotos
Olycom: 58, 59
Shutterstock: 60, 61

© 2010 ELI s.r.l.
P.O. Box 6
62019 Recanati MC
Italien
T +39 071750701
F +39 071977851
info@elionline.com
www.elionline.com

Verwendeter Schriftsatz: Monotype Dante 13/18

Druck in Italien: Tecnostampa Recanati
ERT215.01
ISBN 978-88-536-0543-6

Erste Auflage Februar 2010

www.elireaders.com

Inhalt

Zeichen für die Hörtexte auf der CD

Anfang (▶) **Ende** (■)

Die Figuren

Frau
Meiser

Hanna

Frau
Otten

Herr
Meiser

Matthias

Florian

Frau Tappert

Der Graf

Markus

Herr Tappert

Claudia

Vor dem Lesen

1 Welches Wort passt?

See   Wald
Fahrradweg
Gutshaus

2 Leben in der Stadt heißt. Welches Verb passt?

f am Samstagabend		**a**	essen
1 ☐ ins Schwimmbad		**b**	sehen
2 ☐ den neuen Film im Kino		**c**	gehen
3 ☐ Freunde		**d**	treffen
4 ☐ abends ein Eis		**e**	besuchen
5 ☐ das Fußballspiel		**f**	ausgehen

3 Was kannst du in der Stadt machen? Bilde Sätze mit den Ausdrücken aus Übung 2.

Beispiel: In der Stadt kann ich am Samstagabend ausgehen.

4 Leben auf dem Land heißt? Welches Verb passt?

f Haustiere		**a**	genießen
1 ☐ Tiere		**b**	beobachten
2 ☐ im Wald Pilze		**c**	sammeln
3 ☐ lange Spaziergänge		**d**	machen
4 ☐ die Ruhe		**e**	spielen
5 ☐ ohne Gefahr draußen		**f**	halten

5 Was kannst du auf dem Land machen? Bilde Sätze mit den Ausdrücken aus Übung 4.

Beispiel: Auf dem Land kann ich Haustiere halten.

6 Ordne die Wörter aus dem Kasten den beiden Begriffen zu.

~~das Einkaufszentrum~~   das Feld   der Dorfladen

der Lärm   der Stall   der Verkehr   der Wald

die Diskothek   die Ruhe   die Straßenbahn

die Tiere   die Universität

In der Stadt
das Einkaufszentrum
....

....

....

....

....

Auf dem Land
....

....

....

....

....

7 Welches Wort passt nicht zu den anderen? Streiche es durch.

	Feld	Stall	Wald	~~Straße~~
1	Fußball	Handball	Kino	Tennis
2	Klassenarbeit	Ferien	Sommer	Schwimmbad
3	Fabrik	Kino	Theater	Einkaufszentrum
4	Vater	Nachbarin	Mutter	Bruder
5	backen	kochen	laufen	probieren
6	langweilig	interessant	spannend	warm

8 Jetzt bist du dran! Wo möchtest du leben? Auf dem Land oder in der Stadt? Und warum? Unterhalte dich mit einer Freundin oder einem Freund.

Kapitel 1
Ferien auf dem Land

Freitag, der 1. Juli

▶ 2 Liebes Tagebuch!

Letzten Samstag hatte ich Geburtstag … es war eine Katastrophe! Ich hatte mir ein Paar Inlineskates[1] gewünscht, aber weißt du, was ich dann zum Geburtstag bekommen habe?

Wanderschuhe[2]! „Mit denen kannst du auf dem Land spazieren gehen", hat meine Mutter gesagt. Ich hasse aber das Land! Da hat sie gesagt: „Hanna, du bist wirklich nie zufrieden!"

Ist doch klar, denn ich wollte Inlineskates und doch keine Wanderschuhe! Und dann ist keiner meiner Freunde zu meiner Geburtstagsparty gekommen. Es sind nämlich Sommerferien und alle sind am Meer, in den Bergen oder im Ausland. Sogar meine beste Freundin Claudia ist weggefahren. Nur ich bin zu Hause geblieben. Allein, mit meinen Eltern und mit meinem Bruder Matthias. Er ist 12 Jahre alt, zwei Jahre jünger als ich und ich kann ihn nicht ausstehen[3]. Er geht mir

[1] r Inlineskate, s Schuhe mit Rollen
[2] r Wanderschuh, e robuste Schuhe für die Berge
[3] ich kann ihn nicht ausstehen ich finde ihn nicht sympathisch

einfach auf den Geist[1]. Warum konnte er nicht mit seinen Freunden ins Ferienlager[2] fahren?

Zu meinem Geburtstag hat er mir dieses Tagebuch geschenkt. Ein echt blödes Geschenk!

Ich schreibe nur Tagebuch, weil ich mich langweile. Der Sommer wird schrecklich[3]!

[1] **er geht mir auf den Geist** er stört mich
[2] **s Ferienlager, –** Ort, an dem Kinder zusammen die Ferien verbringen
[3] **schrecklich** furchtbar, nicht angenehm

Samstag, der 2. Juli

Liebes Tagebuch!

Morgen fahren wir nach Wollingen. Das ist ein gottverlassenes[1] Dorf im Nirgendwo, 20 Kilometer von unserer Stadt entfernt. Mama und Papa wollen dort hinziehen. Sie haben keine Lust mehr, inmitten von Verkehrslärm[2] und Autoabgasen[3] zu leben. Matthias freut sich, dass wir wegfahren. Er hat seinen Rucksack schon gepackt. Er hat Nägel[4], einen Hammer[5], eine Säge[6], ein Seil, eine Decke, eine Trinkflasche, eine Lupe, Streichhölzer[7] und drei Dosen Fleisch eingepackt. Er nennt mich Freitag. Wie im Buch Robinson Crusoe! Ich halte

[1] **gottverlassen** kein Mensch wohnt hier
[2] **r Verkehrslärm** laute Geräusche der Autos
[3] **s Autoabgas, e** Gase, die hinten aus dem Auto kommen
[4] **r Nagel, ¨** kleiner Metallstift
[5] **r Hammer, ¨** Werkzeug, mit dem man Nägel in die Wand schlägt
[6] **e Säge, n** Werkzeug zum Holzschneiden
[7] **s Streichholz, ¨er** kleines Holzstück zum Feuermachen

das nicht aus[1]! Ich habe keine Lust, *Robinson Crusoe* zu spielen. Und auf dem Land leben will ich auch nicht. Aber mich hat ja niemand gefragt!

Ich lebe so gern in der Stadt. Hier sind meine Freunde, meine Schule, mein Haus, mein Zimmer … Also, ich fühle mich echt wohl[2] hier und will nicht nach Wollingen ziehen. „Erstmal machen wir dort Ferien und dann entscheiden wir", hat Mama gesagt. Das glaube ich nicht! Mama sagt immer wir, aber dann entscheidet sie allein!

[1] **ich halte das nicht aus** ich will das nicht
[2] **sich wohl fühlen** sich sehr gut fühlen

13

Sonntag, der 3. Juli

Liebes Tagebuch!

Heute Morgen sind wir in Wollingen angekommen. Das Dorf ist winzig! Es gibt nicht einmal eine Pizzeria oder ein Kino!

Hier gibt es nur zehn Häuser, eine Kirche und einen Tante-Emma-Laden[1]. Da kann man alles Mögliche kaufen: Lebensmittel, Zeitungen, Schuhe und sogar Kleider. Und in einer Ecke stehen drei kleine Tische, an denen man etwas essen oder trinken kann.

Matthias ist im siebten Himmel[2], weil es in diesem Dorf einen Wald und Fahrradwege für sein Mountainbike gibt. Außerdem einen kleinen See mit so einem komischen Gutshaus von einem Grafen[3].

Sofort nach unserer Ankunft ist er in den Garten gelaufen. Und dann hat er gerufen: „Ich habe ihn gefunden! Ich habe ihn gefunden!"

[1] **r Tante-Emma-Laden, "** ein kleines Geschäft, wo man fast alles kaufen kann
[2] **im siebten Himmel** sehr glücklich
[3] **r Graf, en** ein Herr mit Adelstitel

„Was hast du gefunden?", hat Papa gefragt. „Na, den richtigen Baum für mein Baumhaus", hat Matthias geantwortet. Statt böse zu werden, wurde Papa ganz aufgeregt[1]: „Au ja, das ist eine tolle Idee! Ich helfe dir das Baumhaus bauen[2]! Ich bin Robinson und du bist Freitag." „Nein", hat Matthias gesagt, „du bist Robinson, ich bin der Sohn von Robinson und Hanna ist Freitag."

„Ich denke nicht im Traum daran!", habe ich gerufen. „Ihr seid doch alle verrückt[3]! Ich gehe ins Haus in mein Zimmer und da bleibe ich die ganzen Ferien. Ich will nicht Freitag sein!" Und das habe ich dann auch getan und an die Tür habe ich das Schild NICHT STÖREN gehängt. Ich bin ganz sicher, diese Ferien werden todlangweilig[4]. Ich will wieder nach Hause!

[1] **aufgeregt** vor Freude sehr unruhig
[2] **bauen** konstruieren
[3] **verrückt** nicht normal
[4] **todlangweilig** sehr, sehr langweilig, überhaupt nicht interessant

Lesen & Lernen

1 **Hanna und ihre Familie verbringen die Sommerferien auf
dem Land. Aber nicht alle finden das toll, oder? Kreuze an.**

		R	F
1	Hannas Mutter	☐	☐
2	Hannas Vater	☐	☐
3	Hanna	☐	☐
4	Matthias	☐	☐

2 **Welche Aussagen sind richtig oder falsch?**

		R	F
	Hanna hatte vor kurzem Geburstag.	☑	☐
1	Hanna hat zum Geburtstag Inlineskates bekommen.	☐	☐
2	Hanna lebt sehr gern in der Stadt.	☐	☐
3	Wollingen ist eine große Stadt.	☐	☐
4	Matthias will sich ein Baumhaus bauen.	☐	☐
5	Matthias' Rucksack ist ganz leer.	☐	☐
6	Hannas Geburtstag war an einem Freitag.	☐	☐

3 **Ergänze die Tabelle mit Infos aus Hannas Tagebuch über
Wollingen.**

Architektur	
Geschäfte	
Unterhaltung	
Sport	*Fahrradwege*
Natur	

Strukturen & Satzbau

4 **Vervollständige die Sätze mit den Verben aus dem Kasten.
Benutze das Perfekt.**

ankommen	finden	fragen	kommen
laufen	packen	rufen	~~schenken~~

Matthias ....*hat*.......... Hanna ein Tagebuch ...*geschenkt* .

1 Niemand .... zu meiner Geburtstagsparty ....

2 Keiner .... mich nach meiner Meinung ....

3 Heute .... wir in Wollingen ....

4 Matthias .... seinen Rucksack schon ....

5 Wir .... in den Garten ....

6 Was .... du ....?

7 Sie .... ihren Bruder ....

Worte & Wörter

5 **Welches Wort passt nicht? Streiche es durch.**

	A der Stall	**B** die Kühe	~~**C** der Kiosk~~	**D** die Milch
1	**A** Kino	**B** Diskothek	**C** Theater	**D** Schule
2	**A** ankommen	**B** spielen	**C** abfahren	**D** verreisen
3	**A** laut	**B** leise	**C** ruhig	**D** bunt
4	**A** Film	**B** Geburtstag	**C** Torte	**D** Kerzen

Fit für Deutsch Fit 2 – Sprechen

6 **Sich vorstellen. Sprich mit deinem Partner. Fragt und
antwortet gegenseitig.**

Name? Alter? Familie? ....

....

Wohnort? Hobbys? ....

....

Kapitel 2
Eine Überraschung

Montag, der 4. Juli

▶ 3 Liebes Tagebuch!

Also eigentlich ist das Haus, das Papa hier in Wollingen gemietet hat, gar nicht so hässlich[1]. Es ist gelb, hat eine kleine Veranda und einen Garten davor. Aber es gibt kein Telefon! Und ich habe mein Handy[2] vergessen! Eine Katastrophe! Wie soll ich das aushalten[3]? 14 Tage ohne Telefon!

Papa hat nur laut gelacht. Und Mama hat gesagt, das ist eine gute Gelegenheit[4], die Ferienhausaufgaben ohne Unterbrechungen[5] zu machen.

Hinter dem Haus ist ein Gemüsegarten und Papa will Zwiebeln, Karotten und Tomaten ernten. Er sagt: „Das ist Leben! Der direkte Kontakt zur Natur, saubere Luft, einfache Leute ..."

[1] **hässlich** nicht schön
[2] **s Handy, s** kleines Telefon ohne Schnur
[3] **aushalten, hält aus, hielt aus, ausgehalten** eine Situation akzeptieren
[4] **e Gelegenheit, en** die Möglichkeit
[5] **ohne Unterbrechungen** ohne Störungen

Auch in der Stadt hatte Papa ein kleines Gewächshaus[1] auf dem Balkon. Dort hat er Erdbeeren, Salat und Tomaten gepflanzt. Jedes Jahr sagt er: „Dieses Jahr essen wir unsere Erdbeeren" oder „dieses Jahr haben wir unbehandelte[2] Biotomaten." Aber dann wächst nie etwas und er sagt, dass der Smog Schuld ist[3]. Papa und die anderen sind sehr froh, in Wollingen zu sein. Ich verstehe sie nicht. Ich fühle mich in unserer Wohnung in der Stadt viel wohler.

Außerdem sind die Nachbarn hier total neugierig[4]. Wir waren gerade angekommen, da haben sie uns schon besucht. Mit der Ausrede[5] uns Obst, Kuchen und sogar ein Huhn zu bringen. Ein lebendiges[6] Huhn! Mein Bruder will es im Haus halten und hat es Polly genannt. Er ist echt verrückt.

---

[1] **s Gewächshaus, ¨er** Glashaus, in dem auch im Winter Pflanzen wachsen
[2] **unbehandelt** nicht mit chemischen Stoffen behandelt
[3] **Schuld sein** verantwortlich sein für
[4] **neugierig sein** sich für andere Personen oder Dinge interessieren
[5] **e Ausrede, n** falscher Grund für den Besuch aus Neugier
[6] **lebendig** es lebt

Dienstag, der 5. Juli

Liebes Tagebuch!

Unsere Nachbarin, Frau Otten, ist unerträglich[1]! Heute Morgen hat sie um halb acht an der Tür geklingelt. Natürlich haben wir alle noch geschlafen und haben uns richtig erschrocken[2].

Papa ist im Schlafanzug[3] zur Tür gelaufen und hat aufgemacht. Als er die Tür öffnete, hat er gesagt: „Frau Otten, welch eine schöne ... Ist die für uns? Wirklich? Das ist sehr nett von Ihnen. Bitte, kommen Sie doch herein und trinken Sie eine Tasse Kaffee mit uns."

Frau Otten hatte eine Torte für uns gebacken. Zehn Minuten später saßen wir alle im Garten und haben gefrühstückt. Als Frau Otten mich im Schlafanzug gesehen hat, hat sie gesagt: „Armes Kind, wie dünn und blass[4] du bist. Die Luft hier in Wollingen wird dir gut tun und du wirst rot und rund[5] wie ein Apfel."

Aber ich gefalle mir so, wie ich bin. Noch ein Grund[6] mehr, wieder nach Hause zu fahren!

[1] **unerträglich** sehr unangenehm, störend
[2] **wir haben uns erschrocken** wir haben Angst bekommen
[3] **r Schlafanzug, " e** der Pyjama
[4] **blass** ohne Farbe, weiß im Gesicht
[5] **rund** dick
[6] **r Grund, " e** das Motiv

Mittwoch, der 6. Juli

Liebes Tagebuch!

Heute Morgen war Post im Briefkasten. Auf dem Briefumschlag stand *An Familie Meiser*. Das sind wir! Ich habe den Brief sofort aufgemacht. Es war eine Einladung[1].

Aus Anlass[2] des Dorffestes laden die Bewohner von Wollingen Herrn und Frau Meiser mit ihren Kindern Hanna und Matthias zum sommerlichen[3] Dartturnier[4] im Grünen Club ein. Nach dem Turnier gibt es Tanz, Spiel und Kuchen für alle. Wir bitten Sie herzlich zu kommen.

Der Bürgermeister von Wollingen
Hans Schenke

---

[1] **e Einladung, en** die Aufforderung zu einem Besuch
[2] **r Anlass, " e** der Grund
[3] **sommerlich** im Sommer
[4] **s Dartturnier, e** ein Wettkampf im Pfeilschießen

Papa ist sofort ins Dorf gefahren und hat sich für das Turnier angemeldet[1]. Heute Abend müssen wir also alle zum Grünen Club gehen und uns dieses dumme Turnier ansehen. Natürlich ist der Grüne Club nichts Anderes als das Trio Kneipe-Restaurant-Geschäft im Tante-Emma-Laden!

Elf Personen machen bei dem Turnier mit. Praktisch die gesamte Dorfbevölkerung[2]. Papa glaubt, dass er gewinnt. Er glaubt immer, dass er gewinnt. Er spielt nur deshalb! Na ja, auf jeden Fall bin ich froh mitzugehen, denn im Tante-Emma-Laden gibt es ein öffentliches Telefon und ich kann endlich meine Freundin Claudia anrufen. Sie fehlt mir wahnsinnig!

[1] **sich anmelden** sich einschreiben
[2] **e Dorfbevölkerung** Menschen, die in diesem Dorf wohnen

Donnerstag, der 7. Juli

Liebes Tagebuch!

Gestern Abend sind wir dann zum Dartturnier gegangen.

Ich habe leider nicht mit Claudia sprechen können, weil sie mit ihrem Bruder im Kino war. Schade!

Papa ist Zweiter geworden. Unglaublich!

Gewonnen hat Herr Tappert, ein Landarzt, der in Wollingen wohnt. Beim Turnier waren auch seine Frau und seine beiden Söhne: Markus (12) und Florian (16).

Mein Bruder hat den ganzen Abend mit Markus Karten gespielt und mich zum Glück in Ruhe gelassen[1]. Florian sieht sehr gut aus: Er hat braune Haare und grüne Augen. Ja, wirklich. Als ich ihn gesehen habe, bin ich ganz blass vor Aufregung[2] geworden: Mein Puls war bestimmt auf 180[3]! Und dann, wie peinlich[4]: Mein Vater hat mich ihm vorgestellt und gesagt: „Das ist meine kleine Hanna.“

---

[1] er hat mich in Ruhe gelassen er hat mich nicht gestört
[2] e Aufregung,en Nervosität, Unruhe
[3] mein Puls war auf 180 ich war sehr nervös und aufgeregt
[4] peinlich unangenehm

Vor Wut[1] und vor Verlegenheit[2] bin ich ganz rot geworden. Florian denkt sicher, ich bin eine Zicke[3].

Mein Vater hat Schuld. Er hat mich Kind genannt! Wirklich peinlich! Was für eine Beleidigung[4]!

Auf jeden Fall hat sich meine Mutter mit Sara, der Frau des Arztes angefreundet, und sie haben beschlossen, dass wir uns in den nächsten Tagen zum Grillen treffen. Wow! Ich kann es gar nicht erwarten, Florian wieder zu sehen! ⬛

[1] **e Wut** der Ärger, der Zorn
[2] **e Verlegenheit** die Unsicherheit
[3] **e Zicke, n** arrogantes Mädchen
[4] **e Beleidigung, en** einer Person mit Worten wehtun

Lesen & Lernen

1 Bringe die Ereignisse von Kapitel 2 in die richtige Reihenfolge.

A ☐ Hannas Familie bekommt eine Einladung zum jährlichen Darttunier.

B ☐ Hanna mag Frau Otten nicht.

C ☐ Hannas Vater nimmt am Darttunier teil.

D ☐ Hanna findet Florian toll und wird rot, als sie ihn sieht.

E ☐ Frau Otten hat der Familie morgens früh eine Torte gebracht.

F ☐1 Die Nachbarn kommen vorbei und bringen Obst, Kuchen und sogar ein Huhn mit.

G ☐ Frau Tappert und Hannas Mutter haben sich angefreundet.

2 Vervollständige die Tabelle mit den Informationen zu Familie Tappert.

Doktor Tappert	
Seine Frau	
Markus	
Florian	

Strukturen & Satzbau

3 Was tun die Hauptfiguren? Bilde Sätze.

anpflanzen/ Gemüse/Hannas Vater
Hannas Vater pflanzt Gemüse an.

1 einladen/ der Bürgermeister/ Hannas Familie/ zum jährlichen Dartturnier.

2 telefonieren/ können/ nicht mit Claudia/ Hanna.

3 das Huhn/ nennen/ Polly/ Matthias.

4 gewinnen/ das Dartturnier/ Herr Tappert

Worte & Wörter

4 Trage die fehlenden Wörter ein. Benutze dazu die Definitionen.

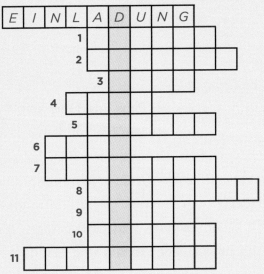

Ein Brief, der jemanden zu etwas einlädt.

1 *Rot und rund wie ein Apfel*: man ist ....

2 Gegenteil von *glücklich*.

3 Farbe von Pflanzen.

4 Ein Spiel mit Pfeilen und einer Zielscheibe

5 Gegenteil von *hässlich*.

6 Ein Tier, das Eier legt.

7 Gemüse, das dich zum Weinen bringt.

8 Das machst du im Bett.

9 Gegenteil von *groß*.

10 Torte und ....

11 Frau, die in der Nähe wohnt.

—— — —   — — — — —   — — — —

Fit für Deutsch Fit 2 – Schreiben

5 Du möchtest zu Deinem Geburtstag eine Party machen. Schreibe deinen Freundinnen und Freunden eine Einladung (ca. 35 - 50 Wörter).

An welchem Tag?   Um wie viel Uhr?   Wo?

Kapitel 3
Wer macht die Torte?

Freitag, der 8. Juli

▶ 4 Liebes Tagebuch!

Heute Morgen ist Papa ins Dorf gegangen, um die Zeitung zu kaufen und hat Herrn Tappert getroffen. Er und seine Frau haben uns Montagabend zum Grillen in ihrem Garten eingeladen.

„Wir kommen gern", hat Papa gesagt. „Meine Frau macht köstliche[1] Torten und Hanna auch!" Das ist natürlich gelogen[2]! Als Papa uns von der Einladung erzählt hat, konnte ich es kaum glauben. „Super!", hat Mama gesagt, „ich werde einen tollen Salat machen."

„Nee, meine Liebe. Wir bringen eine Torte mit", hat Papa geantwortet.

„Eine Torte?", hat Mama gerufen, „Woher nehmen wir eine Torte? In Wollingen gibt es keine Konditorei[3]."

---

[1] **köstlich** lecker
[2] **gelogen** falsch, nicht wahr
[3] **Konditorei, en** Laden, wo man Torten und Kuchen kaufen kann

„Die machst du, Liebes!" „Ich? Ich kann keine Torten machen. Nein, mein Lieber! DU nimmst morgen das Auto und kaufst eine Torte!"

„Das ist unmöglich!"

„Warum?"

„Weil ich ihnen gesagt habe, dass du eine hervorragende[1] Köchin bist. Also habe ich ihnen eine hausgemachte[2] Torte versprochen. Wenn wir sie kaufen, wird man den Unterschied merken."

Mama hat nichts gesagt, aber war ganz rot vor Wut. Ich habe mich verdrückt[3] und bin ein bisschen Rad gefahren. Wenn Mama wütend ist, ist es besser, man verschwindet!

[1] **hervorragend** sehr gut, ausgezeichnet
[2] **hausgemacht** selbst gemacht
[3] **sich verdrücken** verschwinden, weggehen

Samstag, der 9. Juli

Liebes Tagebuch!

Hilfe! Ich bin verzweifelt[1]! Heute Morgen haben Papa und ich versucht, die Torte für Montagabend aufzutreiben[2]. Wenn wir die Torte nicht finden, hat Mama gesagt, gehen wir nicht zum Grillabend! Natürlich gab es keine Torten im Tante-Emma-Laden von Wollingen. Da hatte Papa die Idee, Frau Otten, unsere Nachbarin, um Hilfe zu bitten. Er hat ihr alles erklärt und sie hat gesagt, dass sie uns sehr gerne hilft.

„Ich werde eine Torte für Sie backen[3]", hat sie gesagt „und Hanna wird mir helfen. Nicht wahr, Hanna? Backst du gerne Torten?"

„Nee, überhaupt nicht[4]", wollte ich antworten, aber Papa hat mir auf den Fuß getreten. „Ehm, … natürlich helfe ich Ihnen gern, Frau Otten."

„Gut, gut", hat sie mit einem Lächeln gesagt. „Ich hole mal die Schachtel[5] mit den Rezepten."

[1] **verzweifelt sein** nicht wissen, was man machen soll
[2] **auftreiben, trieb auf, aufgetrieben** suchen und finden
[3] **backen** etwas im Ofen zubereiten
[4] **überhaupt nicht** absolut nicht
[5] **e Schachtel, n** Kiste aus Pappe

Sie ist in die Küche gegangen und hat eine große, rote Schachtel geholt. Die war voll mit Zetteln. Auf jedem Zettel stand ein Rezept.

„Welche Torte isst du gerne, Hanna?" hat sie mich gefragt. Ich wusste nicht, was ich sagen sollte, aber Papa hat mir geholfen: „Obsttorten. Hanna liebt Obsttorten über alles."

„Gut, dann suchen wir ein Rezept für Obsttorten. Das Rezept ist ganz einfach, aber ich vergesse immer etwas …"

Als Frau Otten das Rezept gefunden hat, hat Papa gesagt: „Hanna geht einkaufen und bringt Ihnen morgen früh alle Zutaten[1] für die Torte."

Ich will aber nicht einkaufen gehen und ich will auch keine Torte backen! Aber ich glaube, ich habe keine andere Wahl[2]. Na ja, wenigstens sehe ich dann beim Grillabend Florian!

---

[1] e Zutat, en Lebensmittel, die ich für die Torte brauche
[2] keine andere Wahl haben etwas machen müssen

Sonntag, der 10. Juli

Liebes Tagebuch!

Papa hat mich um 7.00 Uhr geweckt! Nicht mal in den Ferien kann man ausschlafen! Dann hat er mich ins Dorf geschickt, um die Zutaten für die Torte zu kaufen. Der Tante-Emma-Laden in Wollingen ist auch am Sonntag geöffnet! Er war voller[1] Leute.

[1] **voller** voll von
[2] **r Teig, -e** weiche Masse aus Mehl und anderen Zutaten
[3] **gehackt** in sehr kleine Stücke geteilt
[4] **s Eigelb** das Gelbe vom Ei

OBSTTORTE
Zutaten für den Teig[2]:
50g Mehl
100g Zucker
100g Butter
50g gehackte[3] Nüsse
2 Eigelb[4]
3 Esslöffel Milch

Zutaten für den Belag[1]

1 Liter Puddingcreme[2]

4 Aprikosen

½ kg grüne Weintrauben

½ kg blaue Weintrauben

10 g Erdbeeren

10 g Himbeeren

Tortenguss

Schlagsahne

Zubereitung

Mehl, Zucker und gehackte Nüsse in eine Schüssel[3] geben. Die Butter in kleinen Stücken, das Eigelb und die Milch dazugeben und alles gut mischen. Den Teig in eine Kuchenform geben und im Ofen 20 Minuten backen. Abkühlen lassen. Mit der Puddingcreme und den klein geschnittenen Früchten dekorieren. Mit Schlagsahne servieren.

[1] **r Belag, "e** Dinge auf der Torte
[2] **e Puddingcreme** süße Creme
[3] **e Schüssel, n** rundes Gefäß, Schale

Im Laden musste ich warten, bis ich an der Reihe war und da habe ich mir einfach ein Sahnetörtchen[1] gegönnt[2]. Plötzlich[3] habe ich eine Stimme gehört: „Hallo Hanna!" Ich habe mich umgedreht[4] und da stand doch tatsächlich Florian hinter mir. Er hat gelächelt und gesagt: „Hallo Hanna, wir sehen uns morgen Abend." „Gut", habe ich mit vollem Mund geantwortet. Er hat angefangen zu lachen und gesagt: „Du hast Sahne auf der Nase." Dann hat er ein Papiertaschentuch genommen und mir die Sahne von der Nase gewischt.

Wie peinlich! So sehr habe ich mich noch nie in meinem Leben blamiert[5]. ⬛

[1] **s Sahnetörtchen, -** kleiner Kuchen mit viel Sahne und süßer Creme
[2] **sich gönnen** sich selbst etwas Gutes tun
[3] **plötzlich** unerwartet
[4] **sich umdrehen** den Kopf drehen
[5] **sich blamieren** sich lächerlich machen

Lesen & Lernen

1 Wer sagt was? Ordne die Personen den Aussagen zu.

| Florian   Hanna   ~~Frau Otten~~ (2)   Herr Meiser   Frau Meiser (2) |

„Ich werde eine Torte für Sie backen."......*Frau Otten*......

1 „Hanna, wir sehen uns morgen Abend."..........................

2 „Gut, dann suchen wir ein Rezept für eine
Obsttorte."...............................

3 „Natürlich helfe ich Ihnen gern, Frau Otten."......................

4 „Ich kann keine Torte machen."...............................

5 „Meine Frau macht köstliche Torten."............................

6 „Ich werde einen tollen Salat machen."............................

Strukturen & Satzbau

2 Bilde vollständige Sätze aus den Satzteilen.

Heute morgen ist Papa ins Dorf gegangen,

1 „Wir bringen eine Torte mit",

2 Frau Otten ist in die Küche gegangen

3 Vater hat mich ins Dorf geschickt,

4 Im Laden musste Hanna warten,

5 Er hat angefangen

a bis sie an der Reihe war.

b um die Zutaten für die Torte zu kaufen.

c und hat eine große, rote Schachtel geholt.

d zu lachen.

e um die Zeitung zu kaufen.

f hat Papa gesagt.

38

Worte & Wörter

3 **Wähle das richtige Wort aus dem Kasten! Es gibt 6 Lücken, aber 10 Lösungen!**

backen braten Ferien geschenkt geschickt ~~Grillabend~~ köstliche Tanzabend Unterricht verzweifelt wütend

Die Familie wurde zum ....*Grillabend*........... eingeladen.

1 Hannas Mutter macht .... Torten.

2 Hannas Mutter war sehr ....

3 Hilfe! Ich bin ....

4 Ich werde eine Torte für Sie ....

5 Papa hat mich ins Dorf ....

6 In den .... kann man ausschlafen.

4 **Ergänze mit der richtigen Präposition aus dem Kasten.**

für gegen im ~~ins~~ um vor zum

Heute Morgen ist Papa ....*ins*........... Dorf gegangen.

1 Sie haben uns .... Grillabend eingeladen.

2 Wir erwarten Sie .... sieben Uhr.

3 Mama ist .... Wut rot geworden.

4 .... Laden musste ich warten.

5 Frau Otten wird eine Torte .... uns backen.

6 Papa hat mich .... sieben Uhr geweckt.

Fit für Deutsch Fit 2 – Sprechen

5 **Essen und Trinken. Sprich mit deinem Partner. Fragt und antwortet gegenseitig.**

Wie oft....?	Mit wem....?
Wo....?	Wie lange...?
Wer....?	Was.....?
Wann....?	Wohin....?

Kapitel 4

Das erste Mal

Montag, der 11. Juli

▶ 5 Liebes Tagebuch!

Es ist unglaublich! Papa hat mich wieder um 7.00 Uhr geweckt! In Wollingen hat man keine ruhige Minute[1]!

„Frau Otten wartet auf dich", hat Papa gesagt, „hier auf dem Land stehen die Leute mit den Hühnern auf[2]!" „Und deshalb will ich so schnell wie möglich wieder in die Stadt zurück", habe ich geantwortet.

„Na los, komm schon. Morgenstund hat Gold im Mund[3]! Geh schnell zu Frau Otten und sei bitte nett zu ihr."

Als ich bei Frau Otten ankam, war alles schon fertig. Auf dem Küchentisch standen zwei Torten: eine große und eine kleine. Wahrscheinlich hatte sie sie nachts gebacken!

„Zwei?" habe ich gefragt.

„Ja, die kleine kannst du mit deiner Familie zum Frühstück essen, dann könnt ihr mir sofort sagen, ob sie gelungen[4] ist!"

---

[1] **man hat keine ruhige Minute** es ist nie ruhig
[2] **mit den Hühnern aufstehen** sehr, sehr früh aufstehen
[3] **Morgenstund hat Gold im Mund** Am frühen Morgen kann man viele Dinge machen.
[4] **gelingen, gelang, gelungen** gut werden

Abends

Liebes Tagebuch!

Ich bin total happy. Ich muss dir unbedingt erzählen, was beim Grillabend passiert ist!

Frau Ottens Torte war der volle Erfolg[1]! Alle haben gesagt, dass Mama eine sehr gute Köchin ist. Nein, aber das ist nicht der Grund, warum ich so glücklich bin ...

Markus, Florians Bruder, hatte Fieber. Also waren wir die ganze Zeit in seinem Zimmer und Matthias hat uns nicht eine Sekunde in Ruhe gelassen. Aber als wir wieder zu Hause waren, habe ich einen Zettel in meiner Jackentasche gefunden.

---

[1] **der volle Erfolg sein** sehr gut sein

Übermorgen gehen meine Freunde und ich zum Baden an den See. Hast du Lust mitzukommen? Das wäre echt klasse!
Ich warte um 16.00 Uhr auf dem Marktplatz auf dich.
Tschüss, Florian

Wow! Eine Einladung! Zum ersten Mal von einem Jungen! Vielleicht bekomme ich jetzt auch bald Sms und Mails von ihm. Oder Florian schickt mir eine Freundschaftseinladung für sein Facebook. So ein Mist[1], dass ich hier kein Internet habe. Und mein Handy ist in der Stadt! Ich muss doch alles Claudia erzählen. Mittwoch um 16 Uhr! Noch zwei Tage! Eine Ewigkeit[2]!

[1] **So ein Mist!** wie ärgerlich, das ist wirklich dumm
[2] **e Ewigkeit** eine sehr lange Zeit

Dienstag, der 12. Juli

Liebes Tagebuch!

Mittlerweile kennen uns schon alle im Dorf! Heute Morgen haben wir sogar eine Einladung vom Grafen von Wollingen erhalten. Zum Kaffeetrinken morgen Nachmittag in seinem Gutshaus. Mama war ganz von den Socken[1]. Ich will aber nicht dahin gehen und den Nachmittag mit einem alten Knacker[2] verbringen. Ich habe doch mein Date[3] mit Florian. Nein, ich gehe nicht zum Grafen, aber Mama sage ich das erst in letzter Minute.

Papa und ich sind in der Gegend herum gefahren, um uns Häuser zum Kaufen anzusehen. Dabei will ich gar nicht hierher ziehen und alle meine Freunde verlassen. Auch wenn Florian wirklich nett ist …

Zum Glück war ein Haus zu groß, das andere zu klein, das dritte zu teuer und das vierte hatte keinen Garten. Also hat Papa nichts Interessantes gefunden. Ich bin echt froh darüber. So habe ich noch etwas mehr Zeit zum Nachdenken.

[1] **ganz von den Socken sein** sehr aufgeregt und nervös sein
[2] **r alte Knacker, -** ein alter, langweiliger Mann
[3] **s Date, s** das Treffen, die Verabredung

Mittwoch, der 13. Juli

Liebes Tagebuch!

Ich bin allein zu Hause. Die anderen sind alle beim Grafen zum Kaffeetrinken. Mama war sehr aufgeregt. Heute Morgen hat sie Papa gebeten, sie in die Stadt zu fahren, weil sie sich ein elegantes Kleid für die Einladung beim Grafen kaufen wollte. Aber schließlich hat sie dasselbe angezogen, das sie auf der Hochzeit[1] von Tante Rosemarie getragen hat.

Matthias sah wirklich komisch[2] aus: Er trug einen Blazer mit Fliege[3] und seine Haare waren mit Gel zurück gekämmt.

Mama war zuerst sauer[4] auf mich, weil ich nicht mitkam, aber dann hat sie nachgegeben[5] und um drei Uhr waren alle aus dem Haus!

Jetzt ist es gleich vier! Und ich weiß immer noch nicht, was ich anziehen soll! Egal! Jetzt muss ich aber los. Florian wartet auf mich!

[1] e Hochzeit, en die Feier für einen Mann und eine Frau, die geheiratet haben
[2] komisch lächerlich
[3] e Fliege, n eine Krawatte in Form von einem Schmetterling
[4] sauer sein wütend sein
[5] nachgeben, gibt nach, gab nach, nachgegeben nach einer Weile einverstanden sein

Abends

Liebes Tagebuch!

Florian und ich sind an den See gegangen. Das Wasser war warm und wir haben gebadet. Er hat mich gefragt, ob ich tauchen[1] kann. Natürlich! Und als ich mit dem Kopf unter Wasser war, hat er mich geküsst. Ich habe mich so erschrocken, dass ich richtig viel Wasser geschluckt habe. Fast wäre ich ertrunken[2]. Wie peinlich! Danach wusste ich nicht, was ich sagen sollte. Keiner von uns beiden hat geredet. Dann hat Florian mich nach Hause gebracht und als wir uns verabschiedet haben, hat er mich gefragt: „Sehen wir uns morgen?"

„Ich weiß nicht, ob ich Zeit habe", habe ich gesagt.

„Und übermorgen?"

„Ich weiß nicht ... wir hören voneinander[3]", habe ich gesagt.

„Na, dann mach's gut, Hanna!", hat er gesagt.

[1] **tauchen** unter Wasser schwimmen
[2] **ertrinken, ertrank, ertrunken** unter Wasser sterben
[3] **voneinander** du von mir und ich von dir

Ich bin wirklich doof[1]! Ein Junge, der mir gefällt, möchte mit mir ausgehen und ich antworte: „Wir hören voneinander."

Wie können wir voneinander hören, wenn ich gar kein Handy habe? Ich bin noch dümmer als die Polizei erlaubt[2]! Vielleicht hat Papa doch recht: Ich bin noch ein Kind!

Mama, Papa und Matthias sind nach mir nach Hause gekommen und haben mir eine komische Geschichte erzählt. Sie waren auch sonst sehr komisch. Das sind sie überhaupt in letzter Zeit! Aber ich kann mich jetzt nicht um sie kümmern. Ich muss an andere Dinge denken. Wo ist Claudia? Ich brauche sie!

---

[1] **doof** nicht klug, dumm
[2] **dümmer sein, als die Polizei es erlaubt** sehr, sehr dumm sein

Worte & Wörter

1 Zu jedem Anlass das richtige Kleidungsstück. Aber die Buchstaben sind durcheinander geraten. Ordne sie und achte auf die Großschreibung.

Ihre Mutter will sich für das Fest ein elegantes ....._Kleid_...... kaufen. (liedk)

1 Paul will ins Schwimmbad gehen. Wo ist bloß seine ....? (dheeaosb)

2 Karolina mag keine .... (köecr). Sie trägt lieber .... (nsoeh)

3 Papa trägt nachts immer einen gestreiften .... (aauzfcglshn)

4 Im Winter braucht man .... (hhudesnach)

5 Der Nikolaus versteckt die Süßigkeiten in einem .... (leifets)

6 Zur Hochzeit zieht er einen .... an. (zgnau)

Strukturen & Satzbau

2 Lies die Zusammenfassung und wähle das richtige Wort für jede Lücke. Entscheide dich: A, B, C oder D?

Am nächsten Morgen hatte Frau Otten zwei Obsttorten, (0) ..D... für das Abendessen und eine kleinere für Hannas Familie zum Frühstück.

Der Grillabend (1) .... den Tapperts war nett.

(2) .... Hanna nach Hause kam, fand sie einen Zettel in der (3) .... Es war eine Einladung von Florian.

Er hat Hanna gefragt, ob sie am Mittwoch mit (4) .... baden gehen will.

In der Zwischenzeit sucht die Familie in der Gegend ein Haus, (5) .... sie kaufen kann.

Hanna ärgert sich darüber, (6) .... sie möchte nicht auf dem (7) .... leben. Ihr fehlen (8) .... Freunde.

Am Mittwoch wird die Familie vom Grafen zum Kaffeetrinken eingeladen. Hanna geht aber nicht mit, weil sie nicht ihr erstes (9) .... mit einem Jungen verpassen will. Sie trifft sich lieber mit Florian am See.

	A	**B**	**C**	**D**
	eins	einer	ein	~~eine~~
1	für	an	bei	über
2	Wenn	Als	Wann	Wo
3	Rock	Hand	Tasche	Jeans
4	er	ihn	ihm	sein
5	dass	das	der	die
6	und	sondern	denn	warum
7	Stadt	Feld	Staat	Land
8	ihre	seine	sein	ihren
9	Termin	Date	Datum	Uhrzeit

Sprechen & Sprache

3 **„Kleider machen Leute". Schau dir die verschiedenen Outfits an und diskutiere mit deinem Partner, zu welcher Gelegenheit man sie tragen kann.**

1 lange Jeanshose, Turnschuhe, weißes T-Shirt, Schirmmütze, Jeansjacke.

2 langes Kleid, Schuhe mit hohen Absätzen, eine Kette, passende Ohrringe.

3 dicker Wintermantel, gefütterte Handschuhe, Fellstiefel, Schal, Wollmütze.

4 heller Anzug, hellblaue Krawatte aus Seide, weißes Hemd, schwarze Schuhe.

5 kurze Leinenhose, Badelatschen, Bikini, Strandtuch.

Kapitel 5
Ende gut, alles gut

Donnerstag, der 14. Juli

6 Liebes Tagebuch!

Heute haben sich Papa und Mama wieder Häuser angesehen. Als sie zurückkamen, waren sie ganz aufgeregt. „Hanna, Matthias, wir haben unser Traumhaus gefunden." Am Nachmittag haben wir uns dann alle das Traumhaus angesehen. Es befindet sich gegenüber der Bushaltestelle[1] in die Stadt. Das ist natürlich nicht schlecht. 30 Minuten sind es mit dem Bus bis zu meiner Schule. Aber ich mag trotzdem unsere Wohnung in der Stadt lieber. Auf dem Rückweg[2] bin ich in den Tante-Emma-Laden gegangen und habe wieder versucht, Claudia anzurufen.

[1] **e Bushaltestelle, n** Ort, an dem der Bus hält und abfährt
[2] **r Rückweg, e** der Weg zurück

Sie war wieder nicht zu Hause. Sie ist nie da, wenn ich sie brauche! Ein Leben ohne Claudia kann ich mir gar nicht mehr vorstellen. Wir sind acht Jahre zusammen in die Schule gegangen und haben in derselben Schulbank gesessen, und jetzt?

Sie sagt, es ist toll, auf dem Land zu wohnen. Man kann so viele Tiere haben, wie man will. Aber ich will gar keine Tiere haben, denn ich will keine Tierärztin werden, so wie sie! Aber seitdem sie das Geheimnis[1] des ägyptischen[2] Souvenirs gelöst hat, will sie Polizistin werden. Na ja, mal sehen...

[1] s Geheimnis, se etwas, das nicht klar ist, ein Rätsel
[2] ägyptisch aus Ägypten

Auf der Rückfahrt

Liebes Tagebuch!

Heute gegen sechs Uhr sind Mama und Papa wieder weggegangen. Als sie zurückkamen, hat Mama angefangen, ganz schnell die Koffer zu packen. Papa hat gesagt: „Los[1], Kinder, wir fahren zurück in die Stadt!"

„Warum denn?" habe ich gefragt.

„Mama und ich müssen eine Menge[2] Dinge erledigen[3]. In einem Monat ziehen wir endgültig[4] nach Wollingen."

„Wieso? Nee! Ich komme nicht mit!" habe ich gerufen.

„Wohin kommst du nicht mit? In die Stadt oder nach Wollingen?"

Ich war wirklich durcheinander[5] und wusste nicht, was ich antworten sollte.

---

[1] **Los!** Schnell, beeilt euch.
[2] **e Menge, n** viele
[3] **erledigen** machen
[4] **endgültig** für immer
[5] **durcheinander sein** nicht klar denken können

Hannas Tagebuch

Ich will jetzt nicht in die Stadt zurück. Denn vielleicht habe ich zum ersten Mal einen Freund. Ich will aber auch nicht weg aus der Stadt und Claudia und meine Clique[1] verlieren. So ein Chaos! Mama sagt, dass ich eben nie weiß, was ich will. Papa sagt, dass das mit vierzehn Jahren normal ist.

Auf jeden Fall ist es mir gelungen, Florian eine Nachricht zu schreiben und sie in seinen Briefkasten zu stecken. Ich habe ihm meine Handynummer gegeben. Hoffentlich ruft er mich an.

Und wenn er es nicht macht, … dann werde ich es eben machen! ■

[1] **e Clique, n** Gruppe von Freunden

Lesen & Lernen

1 **Finde die Fragen zu den Antworten.**

Warum können Hanna und Florian nicht miteinander telefonieren?

....

Weil Hannas Familie auf dem Land noch kein Telefon hat.

1 ....

Weil sie endlich ihr Traumhaus gefunden haben.

2 ....

Es liegt genau gegenüber der Haltstelle der Buslinie, die in die Stadt fährt.

3 ....

Sie möchte Polizistin werden.

4 ....

Sie kehren in die Stadt zurück, weil sie vor dem Umzug viele Dinge erledigen müssen.

5 ....

Hanna ist völlig durcheinander, als sie vom Umzug erfährt.

6 ....

Sie hat Florian ihre Telefonnummer auf einen Zettel geschrieben.

2 **Hier findest du Textabschnitte aus Hannas Tagebuch. Bringe sie in die richtige Reihenfolge.**

A ☐ Ich will jetzt nicht in die Stadt zurück. Denn vielleicht habe ich zum ersten Mal einen Freund. Ich will aber auch nicht weg aus der Stadt und Claudia und meine Clique verlieren.

B 7 Letzten Samstag hatte ich Geburtstag....es war eine Katastrophe! Ich hatte mir ein Paar Inlineskates gewünscht, aber weißt du, was ich dann zum Geburtstag bekommen habe? Wanderschuhe!

C ☐ Heute haben sich Mama und Papa wieder Häuser angesehen. Als sie zurückkamen, waren sie sehr zufrieden. „Hanna, Matthias, wir haben unser Traumhaus gefunden!"

D ☐ Mama war zuerst sauer auf mich, weil ich nicht mitkam, aber dann hat sie nachgegeben und um drei Uhr waren alle dem Haus! Jetzt ist es gleich vier! Und ich weiß immer noch nicht, was ich anziehen soll! Egal! Jetzt muss ich aber los, Florian wartet auf mich!

E ☐ Ich will aber nicht einkaufen gehen und ich will auch keine Torte backen! Aber ich glaube, ich habe keine andere Wahl ... Na ja, wenigstens sehe ich dann Florian beim Grillabend!

Strukturen & Satzbau

3 Verbinde die Satzteile mit der richtigen Konjunktion aus dem Kasten.

> aber ~~als~~ dass denn und wenn

...*Als*... sie zurückkamen, waren sie zufrieden.

1 Hanna ist froh, dass das Haus gegenüber der Bushaltestelle liegt, ... sie mag die Wohnung in der Stadt lieber.

2 Hanna ist in den Tante-Emma-Laden gegangen .... hat versucht, Claudia anzurufen.

3 Immer, ... sie sie braucht, ist Claudia nicht zu Hause.

4 Sie sagt, ... ich Glück habe, auf dem Land zu wohnen.

5 Ich will keine Tiere haben, ... ich will keine Tierärztin werden.

Sprechen & Sprache

4 Sprich mit deiner Partnerin oder deinem Partner über deine Berufswünsche.

Fit für Deutsch Fit 2 - Schreiben

5 Du bist Hanna. Schreibe Claudia einen Brief, und erzähle ihr kurz, was alles in Wollingen passiert ist (ca. 35-50 Wörter) .

Das Tagebuch der Anne Frank

Anne Frank wurde 1929 als Kind jüdischer Eltern in Frankfurt am Main geboren. Anfang 1933 flüchtete sie mit ihren Eltern vor den Nazis nach Amsterdam. 1940 überfiel die deutsche Armee auch die Niederlande. Seit 1942 gab es verschärfte Gesetze gegen die jüdische Bevölkerung. Daher versteckte sich Familie Frank mit Freunden in einem Hinterhaus an der Amsterdamer Prinsengracht. Im August 1944 wurden sie dennoch von den Nazis gefunden und verhaftet. Wahrscheinlich hatte sie jemand aus dem Haus verraten und angezeigt. Die Familie wurde in das Konzentrationslager Auschwitz deportiert. Anne Frank starb im März 1945, zwei Monate vor Kriegsende, im KZ Bergen-Belsen.

Anne Frank bekommt zu ihrem 13. Geburtstag ein Tagebuch geschenkt. Sie führt es vom 12. Juni 1942 bis zum 1. August 1944. Sie schreibt über die Schule, über ihre Hobbys und über Jungs. Anne nennt ihr Tagebuch „Kitty" und Kitty soll ihre beste Freundin werden. Dann hört Anne im Radio, dass man alle Zeugnisse über das Leiden des niederländischen Volkes während der deutschen Besatzung sammeln müsse. Anne Frank will daher ihr Tagebuch nach dem Krieg veröffentlichen. Es wird am 4. August 1944, dem Tag von Annes Verhaftung, gefunden und am Kriegsende Annes Vater übergeben. Er folgt dem Wunsch seiner Tochter und veröffentlicht Annes Tagebücher, die heute ein wichtiges historisches Dokument aus der Zeit des Holocausts sind.

Ausschnitte aus dem Tagebuch

Sonntag, 14. Juni 1942

Ich werde mit dem Augenblick beginnen, als ich dich bekommen habe, das heißt, als ich dich auf meinem Geburtstagstisch liegen sehen habe [...]. S. 11

Samstag, 20. Juni 1942

Es ist für jemanden wie mich ein eigenartiges Gefühl, Tagebuch zu schreiben. Nicht nur, dass ich noch nie geschrieben habe, sondern ich denke auch, dass sich später keiner [...] für die Herzensergüsse eines dreizehnjährigen Schulmädchens interessieren wird. [...] S. 18
Ab Mai 1940 ging es bergab mit den guten Zeiten: erst der Krieg, dann die Kapitulation, der Einmarsch der Deutschen, und das Elend für uns Juden begann: [...]. Juden müssen einen Judenstern tragen; Juden müssen ihre Fahrräder abgeben; Juden dürfen nicht mit der Straßenbahn fahren; Juden dürfen nicht mit einem Auto fahren [...]; Juden dürfen nur von 3-5 Uhr einkaufen; Juden dürfen nur zu einem jüdischen Frisör; Juden dürfen zwischen 8 Uhr abends und 6 Uhr morgens nicht auf die Straße; [...] Juden dürfen nicht ins Schwimmbad [...]. S. 20-21

Dienstag, 22. Dezember 1942

Das Hinterhaus hat mit Freude vernommen, dass jeder zu Weihnachten ein Viertel Pfund Butter extra bekommt. [...] Wir wollen alle etwas backen mit dieser Butter. Ich habe heute Morgen Plätzchen und zwei Torten gemacht. S. 86

Dienstag, 1. August 1944

[...] Wie schon gesagt, ich fühle alles anders, als ich es ausspreche. Dadurch habe ich den Ruf eines Mädchens bekommen, das Jungen nachläuft, flirtet, alles besser weiß und Unterhaltungsromane liest. Die fröhliche Anne lacht darüber, gibt eine freche Antwort, zieht gleichgültig die Schultern hoch, tut, als ob es ihr nichts ausmacht. Aber genau umgekehrt reagiert die stille Anne. S. 311-313
An diesem Tag endet Annes Tagebuch.

Quelle: Anne Frank: Tagebuch. Fassung von Otto H. Frank und Mirjam Pressler, Frankfurt am Main, S. Fischer Verlag, 1982.

Kuchen & Torten

Die deutsche Konditoreikunst ist in der ganzen Welt berühmt. Wer hat noch nicht von der Schwarzwälder Kirschtorte oder der österreichischen Sachertorte gehört? Besonders beliebt sind auch Käsekuchen, Bienenstich, Frankfurter Kranz und die Buttercremetorte.

Schwarzwälder Kirschtorte

Eine Schwarzwälder Kirschtorte ist eine Sahnetorte, die sich seit den 1930er Jahren vor allem in Deutschland verbreitet hat und im Laufe der Zeit zu der beliebtesten deutschen Torte wurde. Die wichtigsten Zutaten sind Schokoladenbiskuitböden, die Kirschfüllung, Sahne, Kirschen und Schokoladenraspeln als Verzierung.

Sachertorte

Die Sachertorte ist eine Schokoladentorte mit Marillenmarmelade und Schokoladenglasur. Sie gilt als eine Spezialität der Wiener Küche. Die Geschichte der Sachertorte beginnt, als Fürst Metternich seine Hofküche im Jahr 1832 beauftragte, für sich und seine Gäste ein besonderes Dessert zu kreieren. Doch der Chefkoch war krank und da musste der 16-jährige Lehrling Franz Sacher die Aufgabe übernehmen. Er erfand die Sachertorte. Die Torte ist eine der berühmtesten kulinarischen Spezialitäten Wiens.

Käsekuchen

Der Käsekuchen (in der Schweiz Quarktorte, in Österreich Topfenkuchen) ist ein Kuchen aus Quark oder Frischkäse, Eiern, Milch und Zucker. Das älteste deutschsprachige Rezept für diesen Kuchen steht im Kochbuch von Anna Wecker aus dem Jahr 1598. Als Zutaten gibt sie Quark Eier, Zucker, Butter und Zimt an.

Frankfurter Kranz

Der Frankfurter Kranz ist eine Tortenspezialität aus Frankfurt am Main. Sand- oder Biskuitteig wird in einer Kranzform gebacken. Der Kranz wird zweimal geteilt und die einzelnen Lagen mit Buttercreme und oft mit roter Konfitüre gefüllt.

Bienenstich

Bienenstich ist aus Hefeteig mit einem Belag aus einer Fett-Zucker-Mandel-Masse, die beim Backen karamellisiert. Häufig ist er mit einer Vanille- oder Sahnecreme gefüllt. Die Herkunft des Namens „Bienenstich" ist unklar. Einer Legende nach planten 1474 die Einwohner von Linz am Rhein einen Angriff auf ihre Nachbarstadt Andernach. Am nächsten Morgen gingen zwei Andernacher Bäckerlehrlinge die Stadtmauer entlang und naschten aus den dort hängenden Bienennestern. Als sie die Angreifer sahen, warfen sie die Bienennester nach ihnen, so dass die Linzer – von den Bienen gestochen – flüchten mussten. Zur Feier wurde ein besonderer Kuchen gebacken – der Bienenstich.

Teste dich selbst!

1 Sind die Sätze richtig oder falsch? Kreuze an.

	R	F
Hannas Familie ist in den Ferien ans Meer gefahren.	☐	☑
1 Wollingen ist ein kleines Dorf auf dem Land.	☐	☐
2 Im Haus auf dem Land gibt es kein Telefon.	☐	☐
3 Hanna hat einen älteren Bruder.	☐	☐
4 Frau Otten backt köstliche Torten.	☐	☐
5 Hanna und ihre Mutter sind hervorragende Köchinnen.	☐	☐
6 Hannas Familie freundet sich mit Familie Tappert an.	☐	☐
7 Florian sieht nicht gut aus.	☐	☐
8 Hanna hat eine Verabredung mit Markus.	☐	☐
9 Florian küsst Hanna unter Wasser.	☐	☐

2 Wie viel weißt du noch von Hannas Geschichte?

Wer hat zu Hanna gesagt: „Du bist ja so blass!"
Frau Otten .

1 Warum war Hannas Geburtstag so schrecklich?
....

2 Warum nimmt Hannas Vater am Dartturnier teil?
....

3 Wie heißt Hannas beste Freundin?
....

4 Wer sagt: „Ich mache einen meiner hervorragenden Salate"?
....

5 Wer geht zur Einladung des Grafen?
....

6 Wann trifft sich Hanna mit Florian?
....

7 Was hat Hanna gegessen, als sie Florian im Dorfladen traf?
....

8 Wie alt ist Florian?
....

Syllabus

Themen
Familie
Freundschaft und Liebe
Ferien
Leben auf dem Land und in der Stadt
Essen

Sprachhandlungen
Sich vorstellen
Über Gefühle sprechen
Gefallen und Missfallen ausdrücken
Über Berufswünsche und Zukunftspläne sprechen
Angebote oder Vorschläge machen
Einladungen schreiben und beantworten
Über etwas diskutieren
Kleidung beschreiben
Rezepte schreiben und verstehen

Grammatik
Verben: trennbare und nichttrennbare Verben, starke
und schwache Verben, Konjugation Präsens, Perfekt
und Präteritum
Besondere Verben: Modalverben
Nomengruppe: Deklination der Artikel, Adjektive
und Substantive im Nominativ, Dativ und Akkusativ,
Genitiv von Eigennamen
Adjektive: Steigerung
Pronomen: Personal- und Possessivpronomen
Präpositionen: temporale und lokale Präpositionen
Satz: Satzklammer im Hauptsatz, Verbendstellung
im Nebensatz, Kausalsatz, Temporalsatz, Objektsatz,
Relativsatz, Direkte Rede.

Junge ⟨ELI⟩ Lektüren